El fantasma del instituto

Serie
Aventura joven

Título
El fantasma del instituto

Autores
Elvira Sancho y Jordi Surís

Redacción
Eulàlia Mata

Revisión pedagógica
Javier Pardo

Diseño e ilustración de cubierta
Àngel Viola

Diseño interior
Jasmina Car

Ilustraciones
Roger Zanni

Material auditivo
Voz: Cristina Carrasco
Grabación y edición CD: CYO Studios

© 2005 los autores y Difusión, Centro de Investigación y
Publicaciones de Idiomas, S.L.

Reimpresión: agosto 2014

Versión sin CD
ISBN: 978-84-8443-238-8

Versión con CD
ISBN: 978-84-8443-273-9

Depósito Legal: B-21205-2013

Impreso en España por Raro

difusión
Centro de
Investigación y
Publicaciones
de Idiomas, S. L

C/ Trafalgar, 10, entlo. 1ª
08010 Barcelona
Tel. (+34) 93 268 03 00
Fax (+34) 93 310 33 40
editorial@difusion.com

www.difusion.com

El fantasma del instituto

ELVIRA SANCHO
JORDI SURÍS

difusión

PRESENTACIÓN

La serie **Aventura joven** narra las aventuras que vive un grupo de amigos adolescentes: Mónica, Guillermo, Laura, Sergio y Martín. A través de sus historias, los vas a ir conociendo y, al mismo tiempo, vas a descubrir muchos aspectos de la España de hoy en día.

A lo largo de la lectura de **El fantasma del instituto,** hay una serie de notas que te van a ayudar a comprender mejor el texto y te van a explicar algunas interesantes cuestiones culturales. Recuerda que para entender un texto, no es imprescindible conocer el significado de cada una de las palabras: intenta comprender el texto en su totalidad y disfruta al máximo de la lectura.

«Después de la lectura», te proponemos una serie de actividades. Te van a permitir comprobar si has entendido el texto y te van a ayudar a incorporar nuevo vocabulario o a reflexionar sobre los temas de actualidad que preocupan a los jóvenes españoles. Al final de la novela, hemos añadido las soluciones a esas actividades.

¡Buena lectura!

CAPÍTULO 1

El profesor se pone las gafas y coge unos papeles.

—El tema más votado —dice— para el crédito de síntesis[1] es «Sitges».[2]

—¡Bieeennn! —los alumnos están contentos.

—Tenéis toda la semana para preparar el tema —continúa el profesor—. Esto es lo que tenéis que hacer para cada asignatura —el profesor empieza a leer—: en ciencias sociales, vais a estudiar el crecimiento de la población y la inmigración. En arte y literatura, vamos a estudiar a Santiago Rusiñol.

—¡Profesor! —un alumno levanta la mano— ¿Podemos elegir a otro artista si tiene relación con Sitges?

En aquel momento, alguien llama a la puerta y Olga Pinto, la directora del instituto, entra en el aula. Todos los alumnos callan.

—Perdón Crespo, ¿puede salir un momento?

—Sí, claro.

Poco después, el profesor vuelve a entrar en la clase. Detrás de él, entra una chica.

—Bien —dice Jaime Crespo—. Tenemos una alumna nueva. Se llama Miranda.

1 **crédito de síntesis:** trabajo que se hace en los cursos de ESO, Enseñanza Secundaria Obligatoria, sobre un tema determinado y en el que se evalúan todas las asignaturas.

2 **Sitges:** pueblo marítimo con grandes playas. Está situado a 36 kilómetros al sur de Barcelona y tiene una gran infraestructura turística.

En aquel momento, la puerta se abre otra vez y una señora entra en la clase.

—¡Hola! —dice saludando con la mano.

—¡Mamá…! —exclama la chica nueva en voz baja.

La mujer sonríe. Es una mujer un poco gorda y pelirroja. Lleva una blusa de colores, una falda larga y unos collares de piedras en el cuello. Todos los alumnos la miran con curiosidad.

—¿Cómo estáis, chicos? —pregunta.

—¡Biennn! —contestan los chicos de buen humor.

La mujer abre su bolso, saca unas varillas[3] y empieza a pasear por la clase.

—¿Qué hace? —pregunta Laura, una chica delgada y muy rubia, a Mónica, su compañera de mesa.

—Esto… —dice Mónica— esto es radiestesia.[4]

Los chicos miran con curiosidad a la mujer. Algunos empiezan a reír.

—Señora… —empieza a decir el profesor.

—¿Sí, señor Crespo?

—¿Ha terminado?

—Sí, todo está muy bien. ¡Adiós, muchachos!

—¡Adiós! —los chicos ríen.

—Adiós, Miranda…

—Mamá…

La señora sale de la clase.

—Chicos… —continúa el profesor—. Os presento a Miranda Bolyai. Miranda, bienvenida a tercero de ESO.[5] Has llegado en un buen momento; estamos preparando el crédito de síntesis. Siéntate allí.

El profesor le señala una silla delante de la mesa de Laura y de Mónica.

---

3 **varillas:** barras largas y delgadas de metal.

4 **radiestesia:** sensibilidad especial que poseen algunas personas para captar ciertas radiaciones o vibraciones.

5 **ESO:** Enseñanza Secundaria Obligatoria. Se cursa en España de los doce a los dieciséis años. Los alumnos de tercer curso suelen tener entre catorce y quince años.

Miranda se sienta. Es una chica de pelo negro, ni alta ni baja y de ojos grandes de color verde. Es muy guapa y un poco tímida.

—Vamos a continuar —el profesor coge unas hojas de la mesa y las empieza a repartir entre los alumnos—. Podéis empezar a leer y si tenéis alguna pregunta…

Laura se acerca a Miranda.

—Me llamo Laura. Tú te llamas Miranda, ¿verdad?

—Sí.

—¿De dónde eres?

—Soy húngara.

—Hablas muy bien español.

—Es que mi madre es española, de Galicia.

El profesor continúa la clase.

—El miércoles, pasado mañana, vamos a ir a Sitges. Vamos a ir al Museo Cau Ferrat, al paseo Marítimo y a la playa. Vamos a conocer la obra de Rusiñol y a coger datos de la gente que vive allí, estudiar la fauna marina… Bien, aquí está la documentación básica. Sergio, por favor, ¿puedes acabar de repartir las hojas?

Sergio es argentino pero vive en Barcelona desde los seis años. Tiene el pelo negro y largo, y lleva gafas.

El chico reparte las hojas a sus compañeros. Cuando llega a Laura, Sergio sonríe. Después mira a Miranda y le dice:

—¡Hola! Soy Sergio.

Los chicos empiezan a mirar el texto y a comentarlo entre ellos, mientras el profesor ordena unos papeles que están sobre la mesa.

—¿Sabes qué es un crédito de síntesis? —pregunta Laura a Miranda.

—Bueno, yo he…

De repente se oye un fuerte ruido: los cristales de una de las ventanas se rompen violentamente y caen encima de la mesa de Laura y Miranda.

—¡Ay! —grita Miranda.

Las chicas se levantan de un salto y se apartan de la ventana.

—¿Te has hecho daño? —pregunta Laura.

—No, no… —Miranda tiene algunos trozos de cristal en el pantalón y en el jersey.

Unos cuantos alumnos se acercan a la ventana para mirar. El profesor también. No hay nadie abajo. Todo está en calma. Un gato negro pasea tranquilamente por el patio.

—Bueno, volved a vuestro sitio. Hay que avisar a Miguel.

—Miguel es el conserje[6] —le dice Laura a Miranda.

En aquel momento suena el timbre. La clase ha terminado.

—¡Hasta mañana, chicos! —se despide el profesor.

—¿Qué ha pasado? —le pregunta Martín a Sergio cuando están saliendo del aula.

—No lo sé.

—Oye, esa chica nueva… —sigue Martín en voz más baja— me recuerda a alguien.

—Quizás a alguna actriz, ¡es guapísima!

Martín es un chico delgado, atlético y de cabello castaño. Laura ve que Miranda todavía se está quitando cristales de la falda. Está pálida.

—¡Ven! —le dice para animarla—. Te enseñaré el instituto.

---

6 **conserje:** portero o empleado de un edificio responsable de su limpieza y cuidado.

CAPÍTULO 2

La clase de tercero de ESO está en el segundo piso. Las chicas bajan por la escalera hasta el primer piso.

—Esto es la secretaría —dice Laura señalando una puerta a la derecha.

Unos chicos pasan corriendo por su lado.

—¡Adiós, Laura!

—¡Hasta luego!

Un hombre mayor, con el pelo blanco y vestido con una bata gris, se acerca por el pasillo.

—¡Miguel!, ¡Miguel! —le llama Laura—. Se ha roto el cristal de la ventana de nuestra clase.

—Lo sé, lo sé. Ahora voy…

—Y allí, a la izquierda —continúa Laura—, está la sala de profesores. Y aquí, al final del pasillo, las taquillas.[1]

—Sí, ya lo sé. Esta es la llave de mi taquilla —Miranda saca una llave de su bolsillo. Las chicas siguen descendiendo la escalera hasta la planta baja.

—Mira, aquí está el aula de tecnología. Te la enseño.

El aula de tecnología es una sala grande. Hay poca luz porque unas grandes cortinas tapan las ventanas. Miranda mira los ordenadores, máquinas y algunos aparatos que no sabe lo que son.

---

[1] **taquillas:** armario con llave y cerradura que sirve para guardar papeles y utensilios personales. Suelen estar en la escuela, en las piscinas públicas, en las estaciones de trenes y autobuses, etc.

Laura cierra la puerta.

—¿Qué es todo esto? —pregunta Miranda.

—Vamos a encender la luz…

—¡Ahh! —gritan Laura y Miranda de repente.

Una sombra se mueve delante de ellas.

—¡Francisco!, ¿qué haces aquí?

Un chico alto y moreno de unos dieciocho años, mira a las chicas en silencio. Un gato negro entra en la habitación y se acerca a los pies del chico: ¡«miaau»! El chico lo coge y lo acaricia.

—Bueno… —continúa Laura ante el silencio del chico— le estoy enseñando el aula a Miranda.

Francisco la mira y no dice nada.

—Francisco es el hijo del conserje —explica Laura— y este es su gato. Se llama Bruno.

En aquel momento se abre la puerta del aula. Miguel, el conserje, mira a las chicas y luego a Francisco.

—¡Ah! —dice finalmente dirigiéndose al chico— Vamos. Se ha roto el cristal de una ventana en el segundo piso.

La siguiente clase es la de Ciencias Naturales.

—Vamos a trabajar por grupos —dice Nuria, la profesora, una mujer simpática, de pelo largo y castaño— Vamos a ver… —saca una lista de una carpeta y empieza a leer—: en un grupo, estáis Laura, Mónica, Martín, Guillermo, Andrés… ¡Ah!, y Sergio.

Laura lo mira y el chico le sonríe.

—¡Ah! —de repente la profesora ve a Miranda— ¿Tú eres la chica nueva, verdad?

—Sí, me llamo Miranda.

—Vamos a ver… Puedes ponerte con ellos. Laura, ¿por qué no cambias de grupo…?

—¿Por qué yo? —protesta Laura.

—Puedo cambiar yo… —dice Sergio levantándose.

A Laura no le gusta nada la idea. Pero Andrés también se levanta.

—Ellos siempre trabajan juntos, puedo cambiar yo…

—Bueno —dice la profesora—. Gracias, Andrés. Miranda, siéntate con este grupo.

Los chicos empiezan a trabajar.

—Yo puedo buscar los datos en Internet —se ofrece Guillermo, un chico pelirrojo, bajo y un poco gordito.[2] A Guillermo le gusta mucho la informática.

—Vale, de acuerdo.

—Tú, Mónica, puedes encargarte de clasificar y editar los datos. ¿Tú también, Martín?

—Sí, vale.

Mientras terminan de distribuirse los trabajos, Mónica mira a Miranda. Mónica, morena y de ojos oscuros, siente curiosidad por todo.

—Oye —le dice—, eso de tu madre, ¿son varillas de radiestesia?

—Sí. Ella trabaja con eso.

—¿Es bruja?[3] —pregunta Guillermo.

Los chicos se ríen.

—Bueno, sí que es un poco bruja —contesta Miranda con una sonrisa—. Estudia las energías…

—Oye —Mónica la interrumpe—. ¿Tú también… estudias las energías?

Miranda saca un péndulo[4] del bolsillo. Lo coge por el extremo del hilo y el péndulo empieza a moverse.

La profesora se acerca al grupo.

—¿Qué tal, chicos, cómo va el trabajo?

---

2 **gordito:** diminutivo de gordo. El uso de los diminutivos siempre ayuda a suavizar el tono de descripciones y comentarios, sobre todo si hacen referencia a aspectos negativos.

3 **bruja:** mujer con poderes sobrenaturales y algo maléficos.

4 **péndulo:** objeto que colgado de un punto fijo, oscila por la acción de su propio peso.

Cuando terminan las clases, Laura y Mónica esperan a sus amigos en la calle, a la puerta del instituto. Francisco, el hijo del conserje juega con su gato cerca de ellas.

Poco después llega Guillermo.

—¿Venís a casa a estudiar?

—Vale —contesta Mónica.

—Podemos jugar con el ordenador —propone Laura.

—¡Sí! Esto es mejor…

De repente, Francisco coge el gato y entra deprisa en el instituto. Por la calle se acercan tres chicos andando despacio. Llevan el pelo muy corto, pantalones anchos y chaquetas negras. Hablan en voz muy alta y ríen de una manera desagradable.

—No me gustan esos «tíos»[5] —dice Mónica al verlos.

— Ahora Charlie siempre va con ellos… —comenta Guillermo.

Los chicos se pasan una botella de cerveza y beben. Cuando llegan donde están ellos, Mónica los mira.

En aquel momento salen del instituto Sergio, Martín y Miranda. Sergio y Martín saludan a las chicas y a Guillermo.

—¿Vamos? —dice Sergio.

Martín saluda a uno de los chicos, que se han parado a beber delante del instituto:

—¡Hola, Charlie!

Cuando Miranda sale, mira de reojo a los chicos.

—¿Los conoces? —pregunta Laura.

—No.

—Charlie era alumno del instituto —explica Guillermo.

El grupo se queda unos minutos hablando en la puerta.

—Yo tengo que irme. ¡Adiós! —dice Miranda— ¡hasta mañana!

Mientras bebe su cerveza, uno de los chicos mira a Miranda que se aleja por la calle. «Es extraño —piensa Laura— da la impresión[6] de que la conocen.»

---

5 **tíos:** (coloquial) chicos, hombres.
6 **dar la impresión:** parecer.

—Guille[7] dice que podemos ir a su casa…

Los chicos terminan de beber su cerveza. Uno de ellos tira la botella contra la pared del instituto y los tres se alejan riendo.

Poco después, Francisco abre la verja[8] del instituto y mira fuera… No hay nadie en la calle. El viento arrastra las hojas de los árboles.

[7] **Guille:** diminutivo de Guillermo.
[8] **verja:** reja de barras de hierro entrecruzadas, que se pone en las puertas o ventanas de un edificio para su seguridad.

CAPÍTULO 3

Cuando, al día siguiente, llegan al instituto, Martín y Sergio ven a un grupo de alumnos en el pasillo, hablando entre ellos.

—¿Qué pasa? —pregunta Sergio.

El profesor Crespo se acerca al grupo.

—Vamos chicos, a clase...

—¿Sabes quién lo ha hecho, Jaime? —pregunta uno de los chicos.

—No tengo ni idea.

La pared del vestíbulo está llena de pintadas y dibujos. En el centro puede leerse claramente en grandes letras rojas: «Pablo ha vuelto». Y encima de las letras hay un gran dibujo de una cruz invertida.[1]

—Martín, tú que eres nuestro experto «graffitero»,[2] ¿tienes alguna idea de quién ha hecho esto? —pregunta Sergio.

—No sé... —Martín mira con atención los dibujos.

—¿Tu crees que es Charlie...? —pregunta alguien.

—No, él no ha sido. Él es muy bueno con los graffitis. Estos tienen fuerza, pero no tienen técnica.

Laura y Miranda se acercan a ellos.

---

1 cruz invertida: cruz del revés, que en ocasiones se utiliza como símbolo del mal.

2 «graffitero»: al igual que graffiti, se trata de una palabra que todavía no ha sido aceptada por la Real Academia del Español. Sin embargo, tiene su lógica. Si muchos nombres de oficios acaban en -ero o -era, como peluquero, panadero, jardinera, ¿por qué no «graffitero»?

—¡Ah!

—¿Qué pasa? —pregunta Miranda.

—Mira…

—Sí… una pintada…

Miranda mira la pared con atención.

—Pablo está muerto… —explica Laura.

—¡Ah!

—Pablo era de nuestra clase —sigue Laura—. El año pasado murió. Él siempre llevaba colgada una cruz invertida. Siempre la llevaba colgando del cuello.

Miguel, el conserje, se acerca andando lentamente.

—¿Olga lo ha visto? —le pregunta el profesor Crespo.

—No —responde el conserje—. La directora todavía no ha llegado.

Hoy la clase de Literatura del señor Crespo es muy interesante. Trata del movimiento modernista y uno de sus artistas, Santiago Rusiñol[3] que tiene un museo en Sitges. Habla de los actos de rebeldía de los artistas modernistas y de su deseo de cambiar las cosas.

—Muchos artistas modernistas se fueron a vivir a París…

De repente, la puerta de la clase se abre y Olga, la directora, entra. Está muy seria. Los alumnos la miran en silencio.

—Perdone, Crespo, ¿puede salir un momento Martín Barroso?

—Martín… —dice Crespo.

Martín se levanta y sale de la clase con la directora. Un cuarto de hora después vuelve a entrar. Se acerca a su mesa. Está enfadado. Sus amigos lo miran.

---

3 Rusiñol: Santiago Rusiñol, artista español modernista (1861-1931). Pertenece a la bohemia burguesa innovadora de finales de siglo ꞏꞏꞏ y forma parte del grupo de artistas e intelectuales que se reúnen en el café Quatre Gats de Barcelona. Hacen exposiciones, manifiestos, obras de teatro, etc. Rusiñol es conocido como pintor y como escritor de obras teatrales. También funda el museo Cau Ferrat de Sitges donde se expone gran parte de su obra junto con la de otros artistas.

—¿Qué ha pasado?

—Nada, que cree que yo he hecho las pintadas de *graffiti*.

—¿Y por qué?

—No lo sé. Además, ¿qué cree? ¿cree que me interesa hablar de la muerte de Pablo?

Miranda lo mira con curiosidad. Cuando salen de clase, Laura le habla de Pablo.

—Martín era amigo de Pablo.

—Ya. El chico ese que murió...

—Sí. Se cayó por una de las ventanas del instituto... o eso parece.

—¿Qué quieres decir? —pregunta Miranda en voz muy baja.

—Bueno. Nadie sabe exactamente qué pasó.

—Tal vez se tiró... —Miranda parece preocupada.

—No sé. Nadie lo sabe. También era amigo de Charlie.

—¿Charlie es uno de los chicos de ayer?

—Sí, los que bebían cerveza en la puerta. Después de la muerte de Pablo, dejó el instituto.

—¿Por qué? ¿Piensan que tuvo algo que ver?

—No lo sé Miranda. Ya te digo que nadie lo sabe. Charlie es un buen chico... Aunque a veces él y Pablo hacían muchas tonterías.

Las chicas han llegado al primer piso. Guillermo se acerca a ellas. Laura le saluda.

—Hola, ¿qué haces? —le pregunta.

—Voy a buscar los datos para el crédito de síntesis. Los necesitamos esta tarde.

Cerca de las taquillas, Mónica está hablando con un chico. Mónica parece enfadada. Están discutiendo.

—¿Es su novio? —pregunta Guillermo bajando la voz.

—Mmm, quizás —Laura se encoge de hombros y sonríe. Después se aleja con Miranda.

Guillermo se acerca a las taquillas, abre la suya y empieza a buscar.

—No lo entiendo —dice—. Estoy seguro de que...

Mónica se acerca a su taquilla.

—Mónica, ¿tú no tienes las hojas con los datos, verdad?

—¿Yo? Pero si te los quedaste tú.

—Pues no los encuentro por ninguna parte.

—No me extraña, siempre lo pierdes todo.

—¿Yo?

—Claro, y además si no tenemos esas hojas no podemos trabajar esta tarde —dice Mónica enfadada.

—Oye, ¿y a ti qué te pasa ahora?

—¡Déjame en paz!

Mónica se da la vuelta y se aleja por el pasillo. Guillermo cierra la taquilla. Se ha puesto de mal humor. Luego baja al bar. Ahí se encuentra con Martín y Sergio que están hablando.

—Hola Guille —dice Martín al verle—. ¿Quieres una limonada?

—Vale.

—¿Qué te pasa?

—Nada, no encuentro los papeles de los datos. Juraría[4] que los dejé en la taquilla, pero…

—¿En la taquilla?

—Sí.

Martín y Sergio se miran.

—¿Qué pasa? —pregunta Guillermo— Laura tiene una copia…

—No es eso —dice Sergio preocupado—, a mí también me ha desaparecido un libro de la taquilla.

—Y a Andrés, el móvil.

—¡Qué raro!

—Mira, ahí está Mónica.

Guillermo se gira de espaldas para no saludarla. Todavía está enfadado con la chica, pero ella se acerca y en voz baja le dice:

—Lo siento Guille.

—No importa —responde el chico contento—. Pero mira lo que dicen estos…

4 **juraría:** Condicional del verbo jurar. Aseguraría, diría; creo.

Mónica mira a Martín y a Sergio.

—¿Qué pasa?

—Nada, que parece que alguien coge cosas de las taquillas. A mí, me ha desaparecido un libro, a Andrés su móvil, y a Guillermo los datos del crédito de síntesis.

—¿Seguro que no lo habéis perdido?

—Bueno, de repente todos perdemos cosas. Es mucha casualidad ¿no crees?

Mónica no quiere discutir otra vez, pero cree que sus amigos exageran. ¿A quién le interesan los datos del crédito de síntesis?

En la clase de la tarde los alumnos siguen con el trabajo de síntesis. Al final, los chicos están satisfechos.

—Creo que el trabajo va a quedar bien, ¿no? —comenta Laura a Mónica mientras bajan la escalera.

—Sí, eso espero… —Mónica está un poco preocupada. El trimestre pasado no sacó muy buenas notas y quiere subirlas otra vez para final de curso.

Cuando llegan a las taquillas Mónica abre la suya para guardar dentro el trabajo.

—¿Qué es esto? —exclama sorprendida.

—¿Qué pasa? —pregunta Laura detrás de ella.

Mónica mira la taquilla sin entender.

—Aquí hay cosas que no son mías.

Mónica alarga la mano, coge un móvil y se lo pasa a Laura. Después hace lo mismo con un montón de papeles, con un libro, con una agenda…

—Este es el móvil de Andrés —dice Laura.

—Y esto son… son —dice Mónica incrédula—, son los datos de Guille. ¿Y ese libro? —Mónica empieza a sacar cosas de su taquilla: papeles, una agenda…

—Pero, ¿quién ha puesto todo eso aquí? —pregunta Laura.

—Y yo qué sé. ¡No entiendo nada!

—¡Qué raro!

—¿Quién ha podido ser? —se pregunta Mónica pensativa.

CAPÍTULO 4

Al llegar al instituto, los chicos ven un autocar aparcado delante de la entrada. Hoy miércoles, la clase va a Sitges para el crédito de síntesis.

Los chicos están contentos. Todos llevan sus bolsas con el bañador y una toalla. «Si hay tiempo —ha dicho la señorita Nuria—, nos damos un baño en la playa.»

—¡Eh! ¡Mónica!, ¡Miranda! —Laura llama a sus amigas mientras sube al autocar.

Miranda se acerca, pero Mónica se dirige hacia Martín que llega en este momento y habla con él. Martín ríe y los dos corren hacia el interior del instituto.

—¿Pero a dónde van esos? —pregunta Laura.

—No sé, Mónica ha dicho que vuelve enseguida —contesta Miranda, mientras se sienta al lado de Laura en el autocar.

Mónica y Martín entran en el instituto y van a la zona de las taquillas. Mónica saca de su mochila una pequeña cámara de vídeo.

—Pero ¿cómo la colgamos? —pregunta Martín.

—He traído cinta adhesiva…[1]

Martín mira un momento a su alrededor.

---

[1] cinta adhesiva: cinta que se pega.

—El mejor sitio es allá arriba, en la esquina.

—Sí, desde allí se ve toda la zona de las taquillas.

—Pero necesitamos una escalera.

—En la sala de tecnología hay una. Creo que están arreglando las luces.

—Perfecto.

En un minuto Martín trae la escalera.

—Ya subo yo —dice Mónica—. No viene nadie ¿no?

Mónica sube rápido por la escalera y coloca la cámara de vídeo en la esquina. La fija con cinta adhesiva y vuelve a bajar.

—¡Ahora sabremos quién toca nuestras cosas! —exclama sonriendo.

—Vamos…

Los dos amigos dejan la escalera en el aula de tecnología otra vez y corren fuera hasta el autobús. Son los últimos en subir. El autobús cierra las puertas y arranca. Laura les saluda.

—¿Qué estabais haciendo?

—Te lo cuento luego —dice Martín riendo, mientras va hacia el fondo del autobús.

Unos treinta y cinco minutos más tarde llegan a Sitges. Allí, primero, van al Museo Cau Ferrat donde toman notas y hacen fotos para los trabajos de arte y literatura.

Después, van a la playa para recoger los datos para las asignaturas[2] de Matemáticas y de Ciencias Naturales.

—¿Tenéis claras las instrucciones? —pregunta la señorita Nuria—. A ver, ¿recordáis qué hay que hacer para matemáticas?

—Sí. Tenemos que contar el número de olas por minuto.

—Muy bien. Y los que recogéis los datos de Ciencias Naturales: ¿tenéis los termómetros?

Los estudiantes se organizan. Uno o dos de cada grupo se van a encargar de recoger los datos para cada asignatura. Así pues, se forman nuevos grupos para cada tarea.

---

2 asignatura: materia que se enseña en un centro docente: Matemáticas, Literatura, etc.

Dos horas más tarde, cuando ya han terminado, Laura y Mónica se encuentran otra vez. Están listas para ir a la playa: Laura lleva un biquini y Mónica un bañador.

—¿Qué tal? —pregunta Laura.

—Bien, ha sido divertido. Andrés estaba en mi grupo. Nos hemos reído como locos.

—Ya os he visto.

—Este chico está como una cabra,[3] hace tantas tonterías que casi se cae al mar vestido.

—Pero a ti te gusta Carlos ¿no?

—Ahora, la verdad, no me gusta nadie.

—Pero yo pensaba que…

—No, no, ya no…

—Mira ahí está Martín. ¡Eh Martín!

—Voy a ponerme el bañador —grita—. ¡Nos vemos en el agua!

Las dos amigas se acercan a un grupo de alumnos que están en la orilla del mar. El día es muy claro y el sol ha empezado a calentar.

—¿Está fría?

—¡Está congelada! —dice Guillermo con los pies en el agua.

—¡Qué exagerado eres! ¡Está buenísima! —contesta alguien.

Laura y Mónica entran poco a poco en el agua.

—¡Qué fría!

—¡Todos al agua! —Martín llega por detrás corriendo y las empuja. ¡Plaff!

—¡Ah! ¡Martín!

—¿A qué no está tan fría? —Martín se aleja de las chicas nadando.

Las chicas se levantan riendo, con el pelo mojado tapándoles la cara.

—¿Vamos hasta aquella cala?[4] —sugiere Laura, pero entonces se queda seria.

---

3 **estar como una cabra:** estar un poco loco, chiflado.
4 **cala:** bahía o playa pequeña entre rocas.

Sergio y Miranda están agachados mirando hacia la arena. Parecen muy concentrados.

—¿Qué hacen?

—¡Yo qué sé! —contesta Laura con brusquedad.

—Eh, Laura —dice Mónica acercándose a su amiga— que a Sergio le gustas tú.

—Bueno, ya no estoy tan segura.

En aquel momento, Sergio las ve, levanta la mano y las llama.

—¡Eh! ¡venid, mirad!

—¿Ves? —Mónica sonríe.

Laura se encoge de hombros.

—Venga, vamos a ver.

Las dos chicas van hasta donde están Sergio y Miranda.

—¿Qué es esto? —pregunta Laura señalando una varilla doblada de metal que Miranda tiene en la mano.

—Es una antena.[5]

—¿Es cómo un péndulo? ¿Para qué sirve?

—¡Detecta metales!

—¿Y habéis encontrado algo?

—Sí, mira —Sergio enseña un par de monedas y una llave que tiene en la mano.

Las dos chicas se agachan y siguen con la vista a Miranda que se mueve suavemente con la antena en la mano.

—¡Eh! —Guille se acerca— ¿Qué hacéis?

—Brujería —contesta Miranda con una sonrisa.

Guillermo se pone rojo.

—¡Ah! Estáis buscando monedas…

Los chicos pasan un buen rato buscando metales. Después de Miranda, Sergio quiere probar y Mónica también, pero ya no encuentran nada.

—Creo que es hora de comer —dice Guillermo. Todos ríen. Guillermo siempre tiene hambre.

---

5 **antena**: tubo metálico delgado.

Después de comer, el grupo sigue con las mediciones. Cuando suben al autocar para volver son las cinco de la tarde. Encuentran mucho tráfico y no llegan al instituto hasta las seis y media. Cuando están cerca del instituto ven por la ventanilla a Charlie y sus amigos. Están sentados en la acera con una botella grande de cerveza al lado.

—Mira, ya están estos otra vez por aquí —dice Mónica con disgusto.

El instituto a estas horas está vacío. Los chicos entran hablando y se dirigen hacia la clase. Laura, Mónica y Martín van delante.

—Qué día más guapo[6] ¿no? —dice Mónica.

—Ha sido divertido, sí.

—Para mí —comenta Martín—, lo mejor ha sido cuando...

Pero Martín no acaba la frase. Se queda paralizado delante de la puerta abierta de la clase. Laura, casi al mismo tiempo, se pone las manos en la boca con sorpresa.

—¡¿Qué es esto?! —exclama.

Laura se para. Mónica, que iba justo detrás, choca contra ella.

El resto del grupo, se para también.

—¿Qué pasa?, ¿qué pasa?

Martín entra despacio en la clase. Los chicos miran hacia el interior de la clase en silencio. No pueden creer lo que ven. Las mesas y sillas están por el suelo; los libros y mochilas, abiertos y tirados. Papeles rotos, la papelera vaciada encima de la mesa del profesor... Los chicos empiezan a caminar entre las mesas y las sillas.

—¿Dónde está mi mochila?

—¡Mira, me han roto el libro!

En este momento, Nuria, la profesora, entra en la clase.

—Pero, ¿qué es esto?, ¿qué ha pasado aquí?

Nuria va hacia su mesa y...

---

6 **guapo**: normalmente este adjetivo se usa para describir el aspecto físico de personas. En lenguaje coloquial y oral, también se utiliza para referirse a otras cosas, siempre en sentido positivo.

—¡Ahh! ¡es horrible!

—¿Qué pasa? —Jaime entra en el aula y se acerca a Nuria.

—¡Díos mío! —exclama el señor Crespo— ¿Qué está pasando aquí?

Detrás de la mesa del profesor, en medio de un charco de sangre, hay un gato muerto.

—Es Bruno, el gato de la escuela —dice Martín.

—¿El del conserje?

—Sí.

—¡Dios mío! Pobre gato.

—Y pobre Francisco.

—Voy a buscar a Miguel.

—Ya han ido.

Poco después, Andrés y Martín llegan corriendo.

—No está.

—¿No está?

—¿Quién?

—Miguel, el conserje. No lo encontramos por ningún lado...

—Creo que debemos llamar a la policía —propone Jaime.

—Sí. Pero primero voy a llamar a Olga —replica Nuria y saca su móvil del bolso—. Quizás prefiere hablar ella con la policía.

Nuria habla con la directora.

—¿Olga? Hay un problema en la escuela. Han destrozado un aula y han matado al gato del conserje... ¿qué no hagamos nada?

—¿Llamamos a la policía? —pregunta Jaime cuando Nuria cuelga el teléfono.

—No. Olga dice que no es necesario llamar a la policía.

—Aquí últimamente, pasan cosas raras —dice Laura.

Los chicos están en el patio. Hablan de lo que está pasando en el instituto.

—Sí, es verdad.

—Primero los *graffitis*, ahora esto.

—Y el conserje que no se entera de nada.

—O no se quiere enterar. ¿Cómo es posible? ¿No ha visto ni oído nada?

— Es que es muy viejo.

— Es curioso, desde que hemos empezado con el crédito…

—Ah, y el cristal de la ventana…

—Sí, es verdad. ¿No fue el día que llegaste tú Miranda? —pregunta Laura.

—Y el robo en las taquillas —interviene Guillermo.

—¡Las taquillas! —grita Mónica de repente.

—¿Qué pasa con las taquillas? —pregunta Laura.

—Esta mañana, Martín y yo hemos puesto una cámara de vídeo (con una cinta de larga duración) enfrente de las taquillas.

—¿Que habéis puesto qué?

—Un vídeo.

—¿Un vídeo para grabar las taquillas? —Laura mira sorprendida a sus amigos.

Pero Mónica ya se ha ido corriendo con Martín hacia el interior del edificio.

—¿Tú sabes de qué hablan? —pregunta a Sergio.

—Parece que Mónica ha tenido la idea de colocar una cámara de vídeo en la pared de enfrente de las taquillas, por si alguien vuelve a abrirlas —dice Sergio.

—Pero, ¿por qué?

—Para ver quién las abre. Ya sabes cómo es Mónica. Le gusta saberlo todo. Mira, ya vuelven.

Mónica y Martín se acercan serios al grupo.

—Qué ¿lo tienes? —pregunta Sergio.

—No está.

—¿No está?

—Ha desaparecido —dice Mónica muy seria. Mónica piensa en su hermano que le ha dejado la cámara. Seguro que se enfadará mucho.

Todo el grupo está preocupado ahora.

—Bueno, está claro que aquí pasa algo.

—Sí y tenemos que averiguar qué —dice Sergio.

—Pero ¿cómo? —pregunta Guillermo.

De repente Laura tiene un idea.

—¡Ya sé! ¡El péndulo!

—¿Qué péndulo?

—El péndulo de Miranda. ¿No puede contestar preguntas y encontrar cosas? Pues podemos preguntarle quién hace todo esto…

—¿Dónde está Miranda?

—Ya se ha ido.

—Yo tengo su teléfono. La llamo esta noche y le pido que lo traiga mañana.

CAPÍTULO 5

Al día siguiente, todo el instituto habla del tema. Los profesores, los alumnos, las señoras de la limpieza…

La clase de tercero está otra vez en orden. Los chicos del grupo hablan en el pasillo, mientras esperan a la profesora.

—¿Y si son los amigos de Charlie? —pregunta Mónica.

—No. Ellos no creo —responde Sergio, serio.

—Quizás alguien de dentro del instituto.

—¿De dentro? ¿Quieres decir un alumno? —pregunta Guillermo que no se lo puede creer.

—O un profesor —dice alguien.

—Tal vez sea alguien de otro mundo…

—Ay, Mónica, qué tonterías dices… —a Laura no le gusta nada hablar de esos temas. Además, está nerviosa.

—No son tonterías. Están pasando muchas cosas raras.

—Pero no tienen ninguna relación entre sí, son casualidades.

—¿Tú crees?

—Pues yo estoy de acuerdo con Mónica —dice Sergio—. Esta frase de Pablo por las paredes, y ahora el gato este, que estaba con él cuando murió.

—Sí, ha sido Pablo… —una voz inesperada interrumpe la conversación— Pablo lo ha matado…

—¡Francisco…!

El hijo del conserje pasa por el lado de los chicos con una mirada extraña. Está hablando solo. Los chicos lo miran con sorpresa.

—¿Y a ese qué le pasa ahora? —pregunta Martín de mal humor.

—Francisco está hecho polvo[1] por su gato —lo defiende Mónica.

—Mira, ahí viene Miranda, a ver si ha traído el péndulo.

Miranda sí ha traído el péndulo. A las once y media, durante el descanso, Miranda, Sergio, Laura, Martín y Mónica se encuentran en el aula de tecnología.

—¿Y Guille? —pegunta Laura nerviosa.

—Quizás no se acuerda.

—Pero si estaba muy interesado…

—Mira ahí viene… —dice Martín riendo— Hay cosas que le interesan más.

Guille aparece en la puerta con un bocadillo en la mano.

—¿Ya estáis aquí? He ido al bar un momento…

—¡Venga! O no vamos a tener tiempo… —dice Sergio.

Se sientan todos en círculo. Miranda tiene el péndulo en la mano. Habla con voz suave.

—Voy a hacer unas preguntas. Si la respuesta es «sí», el péndulo va a ir hacia la puerta, si la respuesta es «no», hacia la pared.

—¿La persona que ha destrozado la clase es alguien del instituto?

El péndulo primero se mueve en círculos y después va hacia la puerta.

Los niños miran el péndulo excitados. Miranda sigue:

—¿Y es la misma persona de las pintadas, del gato y de las taquillas?

El péndulo se dirige hacia la puerta otra vez.

—Indícanos de alguna forma quién es.

El péndulo empieza a moverse, como siempre, en círculos y de repente cambia de dirección y señala hacia la ventana.

Los chicos apartan las cortinas y se asoman a la ventana.

---

1 **estar hecho polvo**: en lenguaje coloquial, estar destrozado, desmoralizado, muy triste.

Delante, está la casa donde viven el conserje y su hijo. De repente, la puerta de la casa se abre y una mujer acalorada y un poco despeinada sale de la casa a grandes pasos...

—¡Anda!, la directora...

—¡Olga!

Los chicos se miran en silencio sorprendidos.

—No lo entiendo, ¿por qué va a hacer algo así la directora?

—Tal vez es una psicópata.

—¡Guille, por favor!

—Tal vez quiere asustarnos para que dejemos el instituto.

—Pero ¿por qué?

—Eso es muy extraño.

—No me la puedo imaginar pintando *graffitis* en los pasillos del instituto —añade Martín con una mueca.[2]

Miranda mira a sus compañeros pensativa.

—Sí, pero tiene lógica —dice Sergio.

—¿Lógica?

—Bueno, quiero decir que ayer no quiso llamar a la policía.

—Sí, pero cuando pasó lo de las pintadas...

—Estaba realmente enfadada.

—Sí, es verdad —dice Martín.

—No lo entiendo —dice Laura.

—Bueno, esta mujer está loca o no entiendo nada...

El sonido del timbre interrumpe la conversación. Los chicos vuelven a la clase en silencio. Aquella mañana trabajan poco y mal. Están excitados y no pueden concentrarse.

Más tarde, en el comedor, todos siguen pensando en el tema.

—Guille, ¿estás enfermo? ¡Aún no has tocado el plato! —pregunta alegre Angelina, la señora del bar.

—No, sí... Es que no tengo hambre.

2 una mueca: gesto de la cara que expresa algún tipo de sentimiento o emoción.

Martín y Sergio comen en silencio, pensativos. Laura pasea la mirada por el comedor.

—¿Habéis visto a Miranda? —pregunta.

—No.

—Tal vez... —dice Laura— quizás se ha equivocado.

—¿Los péndulos también se equivocan? —pregunta Guille sorprendido.

—No sé, o tal vez hemos hecho algo mal nosotros.

—Sí, tiene que preguntarle otra vez al péndulo.

—Sí, yo tampoco entiendo cómo la...

—Silencio —Laura hace un gesto y señala a Carla, la profesora de Informática, que se sienta en un extremo de la mesa.

—Mejor hablamos luego —dice en voz baja—. Voy a ver si encuentro a Miranda.

—La pobre debe pensar que es un instituto de locos —comenta Martín—. Desde que ha llegado, no paran de pasar cosas raras.

Miranda no está en el instituto. Ha ido con su madre a comer en una pizzería cerca de allí. Las dos están serias. Miranda escucha a su madre mientras juega con el tenedor.

—Miranda, estas cosas no son un juego.

—Ya lo sé, mamá —Miranda deja el tenedor y mira a su madre—. Pero nosotros solo queremos saber quién hace todo esto. Algunos chicos piensan que puede ser alguien de otro mundo, ya sabes, el fantasma de este chico muerto.

—Precisamente por eso. No hay que meterse con los muertos.

—Pero el péndulo ha señalado a Olga, la directora. Ha sido clarísimo mamá —Miranda habla agitadamente.[3]

Mira, cielo,[4] las cosas no son tan sencillas...

—Pero mamá —interrumpe Miranda— ¿no te das cuenta? Cada vez pasan cosas más extrañas. Y ese pobre gato muerto...

3 **agitadamente:** de manera excitada, inquieta, intranquila.
4 **cielo:** aquí se emplea como palabra cariñosa.

—Miranda, por favor. Olvídalo. Te lo digo yo. Mira, esta mañana he echado las cartas[5] y sé que esto es solo el principio.

—¿El principio?

La madre se recoge su pelo rojizo[6] con una mano y acerca la cabeza a Miranda por encima de la mesa. Habla en voz baja y misteriosa.

—Cosas extrañas van a suceder. Tal vez peligrosas. Y tú no puedes hacer nada. ¡Olvídalo!

Miranda mira a su madre en silencio.

—Está bien, mamá —dice finalmente—, no más péndulos. Te lo prometo.

La madre extiende la mano por encima de la mesa con una sonrisa.

Miranda saca el péndulo de su bolsillo y se lo da.

—Y ahora, disfrutemos de la comida.

Las dos sonríen y empiezan a comer. El resto de la comida, la madre habla alegre sobre mil cosas. Miranda la escucha distraída.

Cuando Miranda vuelve al instituto, los estudiantes ya están en clase. La chica entra en silencio y se sienta al lado de Laura.

Laura le cuenta en voz baja lo que han pensado durante la comida.

—¿Y si volvemos a preguntar al péndulo?

—No puedo —Miranda contesta también bajito.

—Pero, ¿por qué?

Pero Miranda no quiere contar la conversación con su madre. No le gusta que los chicos piensen que su madre es rara.

—Porque no, no puedo —dice y se concentra en su trabajo.

Cuando termina la clase, Miranda se levanta deprisa y se va de la clase.

«Qué extraño,» piensa Laura, «¿qué le pasa a esta ahora?»

---

5 **echar las cartas:** adivinar el futuro haciendo ciertas combinaciones con la baraja de cartas.
6 **pelo rojizo:** pelirrojo.

CAPÍTULO 6

Hoy es viernes. El día de la exposición del crédito de síntesis.

—Entonces ya está todo, ¿no? —dice Sergio revisando los papeles.

Martín está un poco nervioso porque no le gusta hablar en público.

—¿Va a estar Olga también? —pregunta Miranda.

Al nombrar a la directora todos piensan en el péndulo.

—No, tiene un examen con los de segundo —dice Mónica.

La exposición se hace en la sala de actos. Los profesores se sientan en las primeras filas y los alumnos en las demás. Los primeros en presentar el trabajo son los del grupo de Andrés. La presentación es breve pero la hacen muy bien.

Inmediatamente después, llaman al grupo de Sergio. Laura y Mónica salen y explican las diapositivas.[1] Después, Martín y Guille comentan todos los datos. Finalmente, Sergio lee la conclusión. A Miranda se le permite no hablar porque es nueva.

Como es habitual, después, los profesores hacen preguntas a cada uno de los chicos.

La exposición del trabajo ha sido buena y las respuestas a las preguntas muy claras.

Después de la exposición, el grupo sale al patio.

—¡Uff! Nos ha salido bien, ¿no? —dice Mónica contenta.

---

1 diapositiva: fotografía positiva que se puede proyectar por transparencia en una pantalla o una superficie blanca y lisa.

—Sí, ha estado muy bien…

—Tú, Miranda —dice Laura—, la próxima vez también vas a hablar.

—Sí. Es que solo hace unos días que estoy en el instituto y…

—Sí, todo es nuevo para ti.

—¡Mira! —interrumpe Mónica señalando hacia la puerta del instituto.

—¡Una ambulancia!

Los chicos miran hacia allí. En la entrada del instituto hay una ambulancia parada, con la puerta de detrás abierta.

—¿Qué ha pasado? —pregunta Guillermo.

—No lo sé. Vamos a ver.

Cuando los chicos se acercan a la ambulancia, dos hombres con bata blanca salen de casa del conserje. Miguel los sigue.

—¡Es Francisco!

—¿Y eso qué es?

—Es sangre…

Uno de los hombres habla con Miguel que camina con la cabeza baja.

—Las heridas no son graves pero es mejor llevarlo al hospital. El servicio de urgencias allí es muy bueno.

La directora aparece detrás de los chicos.

—Y vosotros ¿qué hacéis aquí? —dice con voz agria—. No es la hora del descanso. ¡Id a clase!

—Pero hemos terminado nuestra exposición y…

En aquel momento, la camilla pasa junto a ellos. Francisco con esfuerzo, levanta un poco la cabeza.

—Tú… —dice con voz débil señalando hacia donde están la directora y Miranda.

—Tú…, tú… —empieza a decir, pero no puede terminar la frase.

Un escalofrío recorre la espalda de Miranda. Está asustada. «¿Por qué la señala Francisco? ¿Qué le quiere decir?»

Entonces recuerda las palabras de su madre. «Esto es solo el principio. Cosas peligrosas van a suceder.»

—Yo me voy —dice—. Tengo que volver a casa…

Cuando la ambulancia se va, los chicos se quedan un rato en silencio. Sergio se sienta en un banco, pensativo.

—Le han atacado, ¿no? —dice finalmente Laura.

—Eso parece, pero ¿quién?

—¿No serán Charlie y sus amigos?

—No, Mónica —Martín saca una hoja de periódico doblada de su bolsillo—. Mira esto. Es del periódico de esta mañana.

Martín empieza a leer: «Carlos Pérez, Ramón Raso y José Colón han sido arrestados por agresión y destrozos…»

—¿Es Charlie? —pregunta Guillermo señalando una foto junto a la noticia.

—¿Qué ha pasado?

—Los han arrestado² —dice Laura mientras lee la noticia.

—Sí, pero ¿qué han hecho?

—Una pelea en un bar —responde Martín.

—Ellos no han sido, entonces…

—Si no han sido ellos, ¿quién?

—Olga no puede ser —dice Mónica.

—¿Por qué?

—Ya os lo he dicho: ha estado toda la mañana en la clase de segundo.

—Pero el péndulo señaló claramente la casa de Miguel y allí solo estaba Olga —insiste Guillermo.

—¡Claro! —grita Mónica.

—¿Claro qué?

—¿Qué has dicho, Guillermo?

—He dicho que el péndulo señaló a Olga…

—No, has dicho «la casa de Miguel».

—Martín mira sorprendido a Mónica.

—¿No pensarás que Miguel pega a su hijo?

—No sé. La verdad, no sé qué pensar.

---

2 **arrestar**: detener. Castigar con prisión.

—Vamos —dice de repente Sergio, levantándose del banco.

—¿A dónde vamos? —pregunta Guille un poco asustado.

—Al hospital…

—¿Al hospital? Pero Sergio…

—Sí, quizás podremos ver a Francisco.

—Y saber qué ha pasado —añade Mónica.

—¿No sería mejor hablar con alguien? —pregunta Guillermo.

—¿Con quién?

—Quizás Jaime o Nuria saben algo…

—Yo voy al hospital —dice Sergio dirigiéndose hacia la reja—. ¿Venís?

Cuando llegan al hospital, preguntan en recepción por Francisco.

—¿Cómo decís que se llama? —pregunta la recepcionista.

—Francisco Hernández.

—En estos momentos, lo han llevado a la sala de curas.

—¿Es grave lo que tiene?

—No lo sé. Si queréis esperar…

—Sí, vamos a esperar.

—Su padre está allí, en la sala de espera.

Cuando entran en la sala, Miguel está sentado en un sillón, con la cara entre las manos. Los chicos nunca lo habían visto así.

—Pasad, pasad —dice Miguel levantando la cabeza—. Gracias por venir.

—¿Cómo está Francisco? —pregunta Sergio.

—Parece que las heridas no son graves…

—Miguel… —Mónica se sienta a su lado— ¿Qué ha pasado?

—¿Quién le ha atacado? —pregunta Laura.

—Sí, ¿quién ha sido?

—No lo ha atacado nadie.

—¿No?

Los chicos se miran sorprendidos.

—Pero... Tenía la ropa llena de sangre...

Miguel sonríe tristemente.

—Pobre Francisco —dice—. Pobre hijo mío...

—Pero, si nadie le ha atacado... ¿qué ha pasado? —insiste Mónica.

—El mismo se ha hecho las heridas...

—¿Él?

—Últimamente está muy mal. Tiene visiones, oye voces, imagina cosas... Cree que lo atacan. Lo cierto es que Francisco está muy sensible últimamente... Francisco siempre ha sido un chico especial...

—Francisco era muy amigo de Pablo, ¿verdad? —pregunta Sergio.

—Mi hijo y Pablo eran amigos, sí. Por lo menos hablaban con frecuencia. Cuando murió Pablo, él estuvo muy mal... y esos amigos de Pablo, Charlie y los otros...

—¿Charlie?

—Cuando Pablo cayó por la ventana, el gato de Francisco estaba en el aula.

—Sí...

—Pues Charlie y sus amigos le dijeron que el gato traía mala suerte. Seguramente lo decían en broma. No lo sé. Tampoco sé qué pasó el día que murió Pablo...

—Francisco ahora les tiene miedo, ¿verdad?

—Sí, no sé por qué... Y entonces se imaginó que Pablo quería matar al gato y a él...

—¿Y él también mató a su gato...?

—Sí, en una de esas peleas imaginarias él mismo destrozó el aula y mató al pobre Bruno.

—¡Lo siento mucho, Miguel! —dice Mónica cogiéndole la mano.

—Pero... —interviene Sergio pensativo—, no lo entiendo. Pablo murió hace más de un año y esas cosas han empezado ahora. Antes Francisco no era así...

—¿Sabes lo que creo? —dice Miguel levantando la cabeza— Es por esa chica nueva.

—¿Miranda?

—Sí, Miranda se llama, ¿no? Pues Francisco dice que es la novia de Pablo. Pablo tenía una novia, ¿sabéis?

—Sí, una chica muy guapa. No era del instituto.

—Francisco cree que Pablo ha vuelto por ella.

—Pero… ¡Miranda no era su novia! —exclama Laura—. Además, es húngara y llegó a España en agosto…

—Espera… —dice Miguel buscando algo en su bolsillo—. Es por la foto. Aquí está…

Los chicos se acercan para mirarla.

—Está claro que no es Miranda…

—Pero… se parecen.

—No se parecen mucho, pero tienen algo en común.

—Ya decía yo que Miranda me recordaba a alguien… —dice Martín.

—Sí, pero esa chica es mayor.

—Pablo venía a veces a casa. Mi hijo y él pasaban la tarde hablando. Un día se olvidó los libros y esta foto estaba allí. Francisco la cogió y la ha guardado.

—Entonces, las pintadas en la pared…

—Sí, hijo, sí…

—¿Y alguien más lo sabe?

—Sí. Olga Pinto. Ella siempre nos ha ayudado.

—¿La directora sabía que…?

—Olga es muy buena persona —murmura Miguel—, tiene mal carácter, pero es muy buena.

Los chicos se quedan pensativos un momento.

—Bueno, Miguel. Lo sentimos mucho… —dice Mónica levantándose.

—Gracias por venir. Le diré a mi hijo que habéis estado aquí.

—Adiós, Miguel.

—Adiós…

Los chicos empiezan a salir. Mónica se para un momento y vuelve atrás.

—Miguel, ¿y los robos en las taquillas?

—No eran robos. Él buscaba, buscaba indicios,[3] pistas,[4] qué sé yo. Después, se daba cuenta y lo devolvía... Ah, por cierto, encontré esto por casa. La he cogido al salir de casa... no sé por qué. Supongo que es de alguno de vosotros.

—¡La cámara de vídeo! —exclama Mónica contenta.

Cuando salen a la calle, los chicos están silenciosos. La historia de Francisco les ha impresionado.

—¡Pobre Francisco!

—Bueno, ahora al menos el misterio está resuelto.

---

3 **indicio**: alguna cosa que hace pensar en la posibilidad de que existan o ocurran otras cosas.
4 **pista**: señal o indicio que ayuda a resolver un misterio.

CAPÍTULO 7

—¿Por qué no venís a mi casa? —propone Guille.

—¡Vale!

Los chicos no quieren volver al instituto. Tampoco quieren estar solos.

—Vamos a pasar la cinta del vídeo —propone Sergio en la habitación de Guillermo.

—Pero ahora ya sabemos quién ha sido…

—Bueno, solo por curiosidad.

El vídeo durante un rato, enfoca las taquillas.

—Pásalo rápido…

Después de unos minutos, se ve a los chicos de cuarto de ESO que salen de clase, se acercan a las taquillas y las abren para poner o sacar sus cosas.

Después se ven solo las taquillas otra vez.

—¡Mira, es Francisco! —exclama Laura de repente—. Ponlo a velocidad normal.

Guillermo vuelve al principio de la escena. Los chicos ven a Francisco que se acerca a la pantalla, su cara se hace grande hasta ocupar toda la imagen. Después, la cámara enfoca las taquillas, moviéndose desordenadamente, llega hasta las escaleras y recorre el pasillo hasta llegar a su aula. De repente, la cámara enfoca al gato. Ahora la cámara se mueve violentamente y las imágenes se ven confusas. Se oyen también ruidos de objetos que caen y algunos gritos de Francisco…

De repente, el vídeo enfoca el suelo y la imagen no se mueve más. Sin embargo, los gritos y ruidos continúan; se oye un aullido agudo y a todos se les ponen los pelos de punta.[1] Después, pasos, más gritos, silencio. Luego la cámara se apaga.

—Vamos a pasarlo otra vez —dice Guille.

—¿Para qué? —dice Laura— Ya hemos visto suficiente.

—Me ha parecido oír algo, no sé...

—Ponlo con el volumen a tope[2] —dice Martín interesado.

La cinta empieza otra vez. Con el volumen alto es aún más desagradable: el ruido, los gritos de Francisco que hora se entienden mejor: «¡Vete, Bruno, vete!, ¡No, el gato no!»

Guillermo vuelve atrás la cinta. En un momento dado,[3] toca el sintonizador.[4] Debajo de los ruidos, de los golpes y de los aullidos del gato se oye una voz sorda y baja, que dice: «Francisco ¿qué haces? A quién quiero es a ella.»

Guillermo para la cinta, pero nadie se mueve. Los chicos continúan mirando la pantalla, ahora oscura.

—Esa voz... —pregunta finalmente Sergio— ¿es la de Miguel?

—No —contesta Martín—. Parece la voz... de Pablo.

El lunes por la mañana, en clase, el señor Crespo felicita a sus alumnos por los trabajos del crédito de síntesis. Les dice que está muy satisfecho de los resultados.

—¿Qué se sabe de Francisco? —pregunta alguien.

—Bueno, Francisco está en el hospital —dice finalmente—, pero está bien.

—Y las heridas...

---

1 ponérsele a alguien los pelos de punta: sensación de miedo, pánico.

2 volumen a tope: volumen máximo, máxima intensidad de sonido.

3 en un momento dado: en un momento determinado.

4 sintonizador: dispositivo de los aparatos receptores, como una radio, que ayuda a recibir una cierta frecuencia.

—Ah, no. No eran graves. Está totalmente fuera de peligro. Ahora va a hacer un tratamiento psiquiátrico durante unas semanas.

—Pero, ¿qué le pasa?

—Bueno, parece que Francisco no está bien. Se imagina que ve gente, y él habla y actúa como esta gente. Padece una especie de trastorno de personalidad.

Mónica mira a Martín. Después mira a Laura.

—Pero, ¿va a volver? —pregunta alguien.

—Sí, claro, suponemos que sí, cuando esté bien —el señor Crespo hace una pausa y sigue—. Y también tenemos otra noticia: Miranda Bolyai ha dejado el instituto.

Un rumor de voces sorprendidas recorre la clase.

—Pero, ¿por qué? —pregunta Mónica.

El señor Crespo se encoge de hombros.

—La madre de Miranda ha dejado una nota. Al parecer han decidido irse a vivir a Galicia.

—Y ahora —continúa el profesor Crespo— vamos a seguir con la clase. El tema de hoy es el Expresionismo.

DESPUÉS DE LA LECTURA

CAPÍTULOS 1 Y 2

1. ¿Quién es quién?

A. Pon los nombres de los personajes siguientes en las diferentes columnas, según sean alumnos, profesores u otros.

Andrés • Francisco • Guillermo • Jaime Crespo • Laura • Martín
Miguel • Miranda • Mónica • Nuria • Olga • Sergio

Alumnos	Profesores	Otros

B. a. ¿Quién es el/la profesor/a de Arte y Literatura?
   b. ¿Y el/la profesor/a de Ciencias Naturales?
   c. ¿Quién es el/la director/a del instituto?
   d. ¿Quién es el/la conserje del instituto?

2. ¿Cómo es?

A. Busca e identifica a los personajes siguientes, basándote en las descripciones que aparecen en el capítulo:

   a. Es una chica de estatura media y no es muy extrovertida:
   b. Es un chico que no es español y no tiene el pelo claro:
   c. Es un hombre viejo, de pelo cano:

d. Es hijo de este hombre (el de la descripción anterior) y tiene el pelo negro:

e. Es una mujer simpática, tiene el pelo largo y no es rubia:

f. Es una chica rubia, esbelta y con pelo largo:

g. Es un chico que no es muy delgado y le gustan mucho los ordenadores:

h. Es un chico que tiene cuerpo de atleta y pelo castaño:

B. Describe a los personajes siguientes, siguiendo el ejemplo: Miranda, Sergio, Miguel, Francisco, Nuria, Laura, Guille.

Ejemplo:

Miranda es una chica de pelo negro, ni alta ni baja y ojos grandes de color verde. Es muy guapa y un poco tímida.

C. Hay dos personajes que no se describen: Jaime Crespo y Olga Pinto. Descríbelos tal como te los imaginas físicamente y de carácter.

D. ¿Y tu profesor/a de español? ¿Cómo es?

3. ¿Por qué?

a. ¿Por qué crees que se rompen los cristales de la ventana?

b. ¿Por qué la madre de Miranda entra en la clase? ¿Qué crees que busca exactamente?

4. ¿Dónde?

¿Dónde están las taquillas, la secretaría, la aula de tercero de ESO, la sala de profesores y el aula de tecnología?

planta baja _____

1° piso _____

2° piso _____

5. ¿Qué significa?

A. ¿Qué quiere decir Miranda cuando exclama: «¡Mamá...!» al ver que su madre entra en clase?
- **a.** ¡No deberías estar aquí!
- **b.** ¡Qué alegría volverte a ver!
- **c.** ¡Qué sorpresa verte en clase!

B. Cuando Miranda sale del instituto, se encuentra con Charlie y sus amigos, y los «mira de reojo». ¿Qué significa esta expresión?
- **a.** Mirar con curiosidad, de un lado para otro.
- **b.** Mirar de frente, directamente a los ojos.
- **c.** Mirar con disimulo, hacia un lado.

6. Vamos a jugar.

En esta sopa de letras hay 9 palabras relacionadas con la ropa y accesorios que aparecen en estos dos capítulos. Búscalas.

B	R	A	T	K	C	B	A	T	A	D	C	R	E	P
C	S	V	A	N	X	O	L	J	D	F	O	X	L	B
H	R	T	P	E	S	L	R	F	S	A	L	R	J	G
A	Y	G	A	F	A	S	C	B	A	R	L	M	U	E
O	S	B	N	J	C	O	A	J	N	F	A	L	D	A
U	V	C	T	S	X	J	B	E	A	B	R	W	K	Z
E	H	D	A	B	R	W	K	R	F	S	A	K	L	Ñ
T	N	B	L	U	S	A	R	S	H	I	O	N	E	E
A	O	T	O	B	I	R	I	E	S	V	A	N	Y	P
L	O	L	N	F	A	S	C	Y	K	C	B	A	T	Y

CAPÍTULO 3

7. ¿Es verdad?

a. Charlie y Martín normalmente pintan *graffitis*.　　V F

b. El autor del *graffiti* cree que Pablo sigue vivo.　　V F

c. Charlie dejó sus estudios por la muerte de Pablo.　　V F

d. Mónica está enfada con Guille porque no ha traído los deberes para el crédito de síntesis.　　V F

e. Laura cree que han hecho un buen trabajo de síntesis.　　V F

8. ¿Qué? ¿Por qué?

a. Cuando llegan al instituto, los chicos ven unas pintadas en las paredes que les sorprenden. ¿Por qué?

b. ¿De qué acusa Olga Pinto a Martín?

c. ¿Qué piensan Martín y Sergio que pasa en las taquillas? ¿Por qué?

d. ¿Qué piensa Mónica cuando le cuentan el problema de las taquillas? ¿Por qué?

e. ¿Qué le pasa a Mónica en su taquilla que la deja preocupada?

9. ¿Qué significa?

A. ¿Qué quiere decir Mónica cuando le dice a Guillermo en las taquillas: «Déjame en paz»?
   a. Necesito estar sola.
   b. No me molestes.
   c. Tengo que meditar.

B. «Guillermo se gira de espaldas para no saludarla» (a Mónica) significa que:
   a. Guillermo no la saluda porque está de espaldas.
   b. Guillermo se gira porque no quiere saludarla.
   c. Guillermo le da la espalda a modo de saludo.

C. Cuando Martín y Sergio hablan con Mónica sobre las cosas desaparecidas en las taquillas le dicen: «De repente todos perdemos cosas. Es mucha casualidad ¿no crees?» Con esto, los chicos:

a. quieren decir que todos están perdiendo cosas por casualidad.

b. le están preguntando si ella cree que es casual que todos pierdan cosas.

c. la intentan convencer de que es extraño que todos pierdan cosas.

10. Vamos a jugar...

En esta lista hay una serie de palabras relacionadas con objetos y mobiliario de la clase, pero les faltan las vocales. ¿Qué vocales son? Después, dibuja cada objeto.

CR__Z   L__BR__   T__QU__LL__

P____RT__   M__V__L

M__S__   __G__ND__

V__NT__N__   H__J__

CAPÍTULO 4

11. ¿Cuándo?

Pon en orden las acciones tal como suceden en este capítulo (algunas acciones se repiten más de una vez).

Ⓐ Van a la playa.

Ⓑ Se bañan.

Ⓒ Encuentran su clase destrozada.

Ⓓ Mónica y Martín colocan una cámara de vídeo en el pasillo.

Ⓔ Van al Museo Cau Ferrat.

Ⓕ Buscan metales.

~~Se bañan.~~

Ⓗ Ven a Charlie y sus amigos.

Ⓘ Cogen el autobús.

12. ¿Qué significa?

A. Cuando Mónica y Laura se encuentran en la playa y Laura le pregunta cómo ha ido, Mónica le responde a su amiga: «Bien, ha sido divertido. Andrés estaba en mi grupo. Nos hemos reído como locos.» Con esto quiere decir:

   a. que todos se lo han pasado muy bien riéndose de Andrés.

   b. que todos se han puesto como locos, cuando han visto que Andrés estaba en su grupo.

   c. que se lo han pasado muy bien y han reído mucho porque Andrés estaba en su grupo.

B. Más tarde, en la misma conversación, Mónica le dice a su amiga: «Ahora, la verdad, no me gusta nadie». Con esto quiere decir:

   a. que no le gustan sus compañeros y compañeras de clase.

   b. que simula que le gusta alguien, pero no es verdad.

   c. que, por el momento, no le gusta ningún chico en particular.

C. Cuando Guillermo se acerca a Miranda y a Sergio en la playa y les pregunta qué hacen, Miranda le contesta «brujería». Con esto quiere decir...

    a. que están haciendo un actividad propia de brujas.

    b. que le está tomando el pelo (bromeando) porque él al conocerla, le preguntó si su madre era bruja.

    c. que hacen magia.

13. ¿Cómo?

A. Describe brevemente y con tus propias palabras cómo los alumnos encuentran la clase cuando vuelven de Sitges.

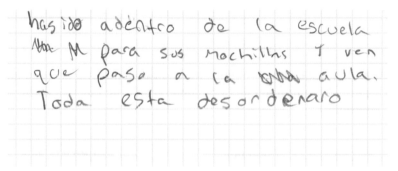

has ido adentro de la escuela Non M para sus mochillas y ven que paso a la aula. Toda esta desordenaro

14. ¿Cuál?

A. Imagina que tienes que poner un título a este capítulo, ¿cuál de estos cuatro títulos te gusta más?

    a. Horror en las aulas.

    b. ¡Vamos de excursión!

    c. Un día en la playa.

    d. Dos espías en el instituto.

B. ¿Por qué?

15. Vamos a jugar...

De todas estas palabras que hacen referencia a las partes del cuerpo humano, solo una no aparece en este capítulo. Búscala, pero primero ordena las letras dentro de cada palabra.

ipes   — — — —   apeslad — — — — — — —

raca   — — — —   samon   — — — — —

rosmbho — — — — — —   caob   — — — —

CAPÍTULO 5

16. ¿Por qué?

A. Forma frases que tengan sentido en esta historia uniendo una parte de la oración de la columna izquierda con una de la derecha:

a. Los chicos preguntan al péndulo ⟩	**1.** ...para pedirle que deje el tema.
b. Mónica pone la videocámara ⟩	**2.** ...para grabar las taquillas y saber quién les toca las cosas.
c. La madre de Miranda la lleva a comer \	**3.** ...para saber quién es el culpable.
d. Quieren preguntar al péndulo otra vez 4	**4.** ...porque piensan que tal vez se ha equivocado.

B. ¿Quién creen los chicos que es el culpable de todas las cosas extrañas que pasan en el instituto? ¿Por qué?

17. ¿Cuál?

A. Cuando los chicos creen saber quién es la persona responsable de los sucesos extraños, se dan cuenta que hay circunstancias que no encajan y también hacen hipótesis. Clasifícalas.

«Tal vez es una psicópata»

«No me la puedo imaginar pintando *graffitis* en los pasillos del instituto»

«Tal vez quiere asustarnos para que dejemos el instituto»

«Tal vez el péndulo se ha equivocado»

«No quiso llamar a la policía»

«Estaba realmente enfadada por las pintadas»

CIRCUNSTANCIAS QUE LA ACUSAN	CIRCUNSTANCIAS QUE NO LA ACUSAN

B. Cuando Martín dice de esta persona: «No me la puedo imaginar pintando *graffitis* en los pasillos del instituto». ¿Cuáles crees que son sus razones para decir eso? Argumenta tu respuesta.

18. ¿Qué?

A. Cuando la madre de Miranda le dice en la pizzería: «Esto es solo el principio. Cosas peligrosas van a suceder», ¿qué cosas crees que van a suceder en esta historia? ¿Puedes imaginar algunas?

B. ¿Y Martín? ¿A qué cosas raras se refiere cuando al final del capítulo dice: «La pobre [Miranda] debe pensar que es un instituto de locos. Desde que ha llegado no han dejado de pasar cosas raras». Marca con una cruz las verdaderas:

1 ☐ Se ha roto un cristal solo.
2 ☐ Han hecho pintadas y *graffitis* por las paredes del instituto.
3 ☐ Se han oído voces que venían del aula de tecnología.
4 ☐ Han desaparecido cosas de las taquillas.
5 ☐ Han encontrado la cruz invertida de Pablo en el lavabo.
6 ☐ Han destrozado la clase.
7 ☐ Han matado al gato del conserje.
8 ☐ Han cortado la luz del instituto.
9 ☐ Ha desaparecido la cámara de vídeo que Mónica ha puesto.
10 ☐ Han robado el péndulo de Miranda.

19. Vamos a jugar...

Busca el intruso entre estas palabras.

a. matemáticas ● ciencias naturales ● informática ● péndulo literatura ● lengua ● arte

b. mesa ● silla ● taquilla ● ordenador ● aula de tecnología parasol

CAPÍTULO 6

20. ¿Qué hacen?

A. Completa las siguientes frases que describen algunos aconteci-mientos del capítulo con el verbo correspondiente en presente.

hablar • volver • presentar • dejar • ir • señalar
mirar • contar • arrestar

a. Los estudiantes .... sus trabajos de síntesis.
b. Francisco .... a Miranda para decirle algo.
c. La policía .... a Charlie y sus amigos por agresión
y destrozos en un bar.
d. Los chicos .... a ver a Francisco que está en el
hospital y allí .... con su padre.
e. Miguel .... la verdad de todas las cosas misteriosas:
las pintadas, las cosas de las taquillas, la clase destrozada,
el gato muerto, etc.
f. Los chicos .... al instituto y .... el vídeo.
g. Miranda .... el instituto porque su familia ha decidido
irse a vivir a Galicia.

B. Relaciona un elemento de cada columna y forma cinco frases con sentido en la historia.

En este capítulo...

Los chicos	está herido/a	para descubrir la verdad.
Francisco	hacen hipótesis	que se parece a Miranda.
Miguel	tenía una novia	porque él/ella mismo/a se ha hecho daño.
Olga	cuenta que su hijo	era el/la autor de las cosas extrañas.
Pablo	sabían que Francisco	solo buscaba pistas en las taquillas.

1. ···

2. ···

3. ···

4. ···

5. ···

21. ¿Qué sucede?

¿Recuerdas las palabras de la madre de Miranda al final del capítulo 5: «Esto es solo el principio. Cosas peligrosas van a suceder»? Compara tu respuesta del ejercicio 18A con lo que has leído en este capítulo? ¿Qué has escrito? ¿Coincides?

22. ¿Por qué?

A. ¿Por qué crees que Charlie y sus amigos le dijeron a Francisco que el gato traía mala suerte?

B. ¿Por qué crees que Miranda se va a vivir a Galicia?

23. ¿Cuándo? El diario de la semana.

Haz dos listas en tu cuaderno de las cosas que pasan cada día de la semana en el instituto, según estén relacionadas con el misterio o con las acciones y actividades normales que hacen los niños.

Exposición crédito de síntesis • Llega una chica nueva a clase
Mónica y Guille se enfadan • Miranda va a comer con su madre
Preguntan al péndulo quién ha sido el culpable • Se rompe un cristal
Aparecen pintadas de *graffiti* • Van a Sitges • Los chicos recuperan
el vídeo • Desaparecen cosas de la taquilla • Encuentran la clase
destrozada y a Bruno muerto • Los chicos cuelgan un vídeo en
las taquillas

24. Y ahora tú...

A. El final de este libro es abierto. Quedan dos explicaciones posibles: que las voces que oye Francisco sean inventadas o que sea realmente la voz del espíritu de Pablo. ¿Por cuál te inclinas tú? ¿Por qué?

B. Inventa otro final para esta historia (cerrado o abierto, como prefieras).

C. ¿Cómo titularías tú esta historia?

25. Para discutir en clase o con tus compañeros...

A. Por lo que has leído ¿crees que un instituto español se parece al centro donde estudias en tu país?

B. ¿Hacéis algo similar a un crédito de síntesis? Explícalo.

C. ¿Te gusta que se incorporen alumnos nuevos a los cursos?¿Por qué?

D. ¿Alguna vez ha pasado algo extraño en el centro donde estudias?

E. ¿Crees que es posible que existan fenómenos paranormales? ¿Por qué?

F. ¿Crees en alguna técnica en particular para adivinar secretos o predecir el futuro de las personas, como el péndulo? ¿Cuál? ¿Por qué? Argumenta tu respuesta.

G. En caso afirmativo, ¿crees que el péndulo es un método fiable?

H. ¿Alguna vez has practicado alguno de estos métodos? ¿Por qué? ¿Funcionó?

SOLUCIONES

1 A **Alumnos**: Miranda, Martín, Mónica, Laura, Sergio, Guillermo, Andrés
Profesores: Nuria, Jaime Crespo
Otros: Miguel, Francisco, Olga Pinto

1 B **a.** El profesor de Arte y Literatura es Jaime Crespo.
b. La profesora de Ciencias Naturales es Nuria.
c. La directora del instituto es Olga Pinto.
d. El conserje del instituto es Miguel.

2 A **a.** Miranda; **b.** Sergio; **c.** Miguel; **d.** Francisco; **e.** Nuria; **f.** Laura; **g.** Guillermo; **h.** Martín

2 B ● Miranda es una chica de pelo negro, ni alta ni baja y ojos grandes de color verde. Es muy guapa y un poco tímida.
● Sergio tiene el pelo negro y largo, y lleva gafas.
● Miguel es un hombre mayor, de pelo blanco y lleva una bata gris.
● Francisco es un chico alto y moreno de unos dieciocho años.
● Nuria es una profesora simpática, de pelo largo y castaño.
● Laura es una chica alta, delgada y tiene el pelo largo y muy rubio.
● Guillermo es un chico pelirrojo, bajo y un poco gordo.

4 **planta baja:** aula tecnología; **1ʳ piso:** taquillas, secretaría, sala de profesores; **2º piso:** aula de tercero de ESO.

5 **A** a; **B** c.

6

B	R	A	T	K	C	B	A	T	A	D	C	R	E	P
C	S	V	A	N	X	O	L	J	D	F	O	X	L	B
H	R	T	P	E	S	L	R	F	S	A	L	R	J	G
A	Y	G	A	F	A	S	C	B	A	R	L	M	U	E
Q	S	B	N	J	C	O	A	J	N	F	A	L	D	A
U	V	C	T	S	X	J	B	E	A	B	R	W	K	Z
E	H	D	A	B	R	W	K	R	F	S	A	K	L	Ñ
T	N	B	L	U	S	A	R	S	H	I	O	N	E	E
A	O	T	O	B	I	R	I	E	S	V	A	N	Y	P
L	O	L	N	F	A	S	C	Y	K	C	B	A	T	Y

7 A **a.** verdadero; **b.** falso; **c.** falso; **d.** falso; **e.** verdadero

8 **a.** Porque no saben quién las ha hecho y hablan de un chico que está muerto; **b.** De haber hecho las pintadas de *graffiti*; **c.** Que alguien les roba las cosas; **d.** Que los chicos exageran, que nadie les roba. Porque encuentra extraño que a alguien le interesen los datos del crédito de síntesis; **e.** Encuentra en su taquilla cosas que no son suyas.

9 **A:** b; **B:** b; **C:** c.

10 cruz, puerta, mesa, ventana, taquilla, libro, móvil, agenda, hoja.

11 Los chicos:
1 Mónica y Martín colocan una cámara de vídeo en el pasillo.
2, 8 Cogen el autobús.
3 Van al Museo Cau Ferrat.
4, 7 Comprueban datos.
5 Se bañan.
6 Buscan metales.
9 Llegan al instituto.
10 Ven a Charlie y sus amigos.
11 Encuentran su clase destrozada.

12 A c; B c; C b

13 Todo está desordenado. Las mesas y las sillas están por el suelo, las mochilas y los libros están tirados y la papelera encima de la mesa del profesor. Detrás de la mesa del profesor hay un gato muerto en medio de un charco de sangre.

15 PIES – CARA – MANOS – ESPALDA – HOMBROS – BOCA
Espalda es la palabra que no aparece en este capítulo.

16 A **a.** 3; **b.** 2; **c.** 1; **d.** 4.

16 B La directora, Olga Pinto. Porque cuando preguntan al péndulo, este señala en dirección a la casa del conserje y Olga está saliendo de ahí.

17 A **Circunstancias e hipótesis que acusan a Olga Pinto:** tal vez es una psicópata; tal vez quiere asustarnos para que dejemos el instituto; no quiso llamar a la policía.

Circunstancias e hipótesis que no acusan a Olga Pinto: no me la puedo imaginar pintando *graffitis* en los pasillos del instituto; estaba realmente enfadada por las pintadas; tal vez el péndulo se ha equivocado.

17 B Olga Pinto es la directora del instituto y normalmente los directores no pintan las paredes. También por su carácter, parece muy seria (entra en la clase seria, se enfada con Martín por los *graffitis*...).

18 B Las verdaderas son: se ha roto un cristal solo, han hecho pintadas y *graffitis* por las paredes del instituto, han desaparecido cosas de las taquillas, han destrozado la clase, han matado al gato del conserje y ha desaparecido la cámara de vídeo que Mónica ha puesto.

19 **a.** péndulo; **b.** parasol.

20 A **a.** presentan; **b.** señala; **c.** arresta; **d.** van, hablan; **e.** cuenta; **f.** vuelven, miran; **g.** deja.

20 B Los chicos hacen hipótesis para descubrir la verdad; Francisco está herido porque él mismo se ha hecho daño; Miguel cuenta que su hijo solo buscaba pistas en las taquillas; Olga sabía que Francisco era el autor de las cosas extrañas; Pablo tenía una novia que se parece a Miranda.

22 A Realmente en el texto no se explica con claridad. Suponemos que porque el gato era negro, ya que en España tradicionalmente se considera que un gato negro trae mala suerte.

22 B Porque su madre es gallega y porque todos los misterios del instituto coincidieron con su llegada.

23

	Lunes	Martes	Miércoles	Jueves	Viernes
Actividades y sucesos normales	• Llega una chica nueva a clase	• Mónica y Guille se enfadan	• Van a Sitges	• Miranda come con su madre	• Exposición crédito de síntesis
Sucesos misteriosos	• Se rompe un cristal	• Aparecen pintadas de *graffiti* • Desaparecen cosas de la taquilla	• Los chicos cuelgan una cámara de vídeo enfrente de las taquillas • Encuentran la clase destrozada y a Bruno muerto	• Preguntan al péndulo quién ha sido el culpable	• Francisco está herido y es llevado al hospital con heridas • Los chicos recuperan el vídeo